全新升级版

地震

U0229351

DIZHEN

台湾牛顿出版股份有限公司　编著

接力出版社
Publishing House

桂图登字：20-2016-224

简体中文版于 2016 年经台湾牛顿出版股份有限公司独家授予接力出版社有限公司，在大陆出版发行。

图书在版编目（CIP）数据

地震／台湾牛顿出版股份有限公司编著． —南宁：接力出版社，2017.3（2024.1重印）
（小牛顿科学馆：全新升级版）
ISBN 978-7-5448-4757-5

Ⅰ.①地… Ⅱ.①台… Ⅲ.①地震－儿童读物 Ⅳ.①P315-49

中国版本图书馆CIP数据核字（2017）第029217号

责任编辑：程 蕾 郝 娜 美术编辑：马 丽
责任校对：杨少坤 责任监印：刘宝琪 版权联络：金贤玲
社长：黄 俭 总编辑：白 冰
出版发行：接力出版社 社址：广西南宁市园湖南路9号 邮编：530022
电话：010-65546561（发行部） 传真：010-65545210（发行部）
网址：http://www.jielibj.com 电子邮箱：jieli@jielibook.com
经销：新华书店 印制：北京瑞禾彩色印刷有限公司
开本：889毫米×1194毫米 1/16 印张：4 字数：70千字
版次：2017年3月第1版 印次：2024年1月第11次印刷
印数：120 001—128 000册 定价：30.00元

本书地图系原书插附地图
审图号：GS（2023）2428号

目 录

写给小科学迷

　　地震常对人类造成很大的威胁,要预测它的发生非常不容易,强烈地震发生时往往只是短短数秒,但是,它所造成的房屋倒塌、道路桥梁断裂、人员伤亡与财产损失等,却是难以估计的。地震发生频繁的地区,必须提高建筑物的抗震强度、加强防震常识,并增强紧急应变能力等,才能减少地震给我们造成的伤害。

可怕的大地震动——地震

费了九牛二虎之力，好不容易才在桌子上搭建好积木，谁知道一不小心碰到桌子，哗啦啦，积木全倒了！当大地震来的时候，我们的房子、家具等物品也会被震得东倒西歪，就像这些积木一样。地震究竟是怎么一回事呢？让我们一起来对地震做进一步的了解。

地震前的预兆

　　凭借长期观察和亲身体验，人类发现在地震发生前，有时候会出现像火光或是闪电般的"地光"，甚至是又像雷声又像炮声的"地鸣"，也有人称之为"地声"。此外，有些动物像猫、狗、鸟类、鱼类、蛇、老鼠等，也会出现一些异常行为，例如特别烦躁或是骚动不已。更常见的情况是，先出现轻微的"前震"，接下来才是较强烈的"主震"。这时候，我们就会感觉到地震来啦！

发生地震了！

    经过一阵让人紧张又难熬的摇晃之后，地震终于停止了，这时人们才能松一口气。由于许多强烈地震是在我们毫无心理准备的情况下突然发生的，常常令人措手不及，而造成生命财产的严重损失。地震可能引起的灾害有很多，例如山崩、地裂、地层沉降、铁轨扭曲、房屋倒塌或龟裂等，甚至可能会有许多人丧命。

地动仪是用青铜做成的，形状就像一个大酒桶。外面镶有8条龙，每条龙的嘴巴里都含着一个铜球，下面有8只张着嘴的铜蛤蟆。地震的时候，地动仪中间的柱子就会摆动，使得龙嘴里的铜球掉下来而落入铜蛤蟆口中。只要观察哪个方向的龙吐出铜球，就可以知道地震发生的大致方位。

对地震加以研究

长久以来，地震不断给人类造成许多伤害和损失，于是人们逐渐注意到这种自然现象，并且想要对它有更深入的了解，甚至尝试预测地震的到来，从而防范地震灾害。史料记载，最早利用仪器研究地震的人是中国东汉时期的张衡。在距今大约1800多年前，张衡发明了世界上第一台地震仪，当时称为"候风地动仪"。外国的科学家则一直到距今一两百年前，才研制出更先进的地震仪，发展出有关地震的学说，并且对地震的成因也有了更进一步的了解。

这是1855年意大利物理学家巴梅里发明的地震仪。在木碗里盛有水银，当水银由凹槽落入某个小碗中，就可以由那个小碗的位置来判断地震发生的方位以及大略的强度。

这个简单的地震仪是两百多年前由意大利人发明的。底部的水盘上放置了一个沙盘，悬挂着的摆锤下面有黄铜制的指针。当摆锤因地震而摆荡时，指针就会在沙盘上画出痕迹来。

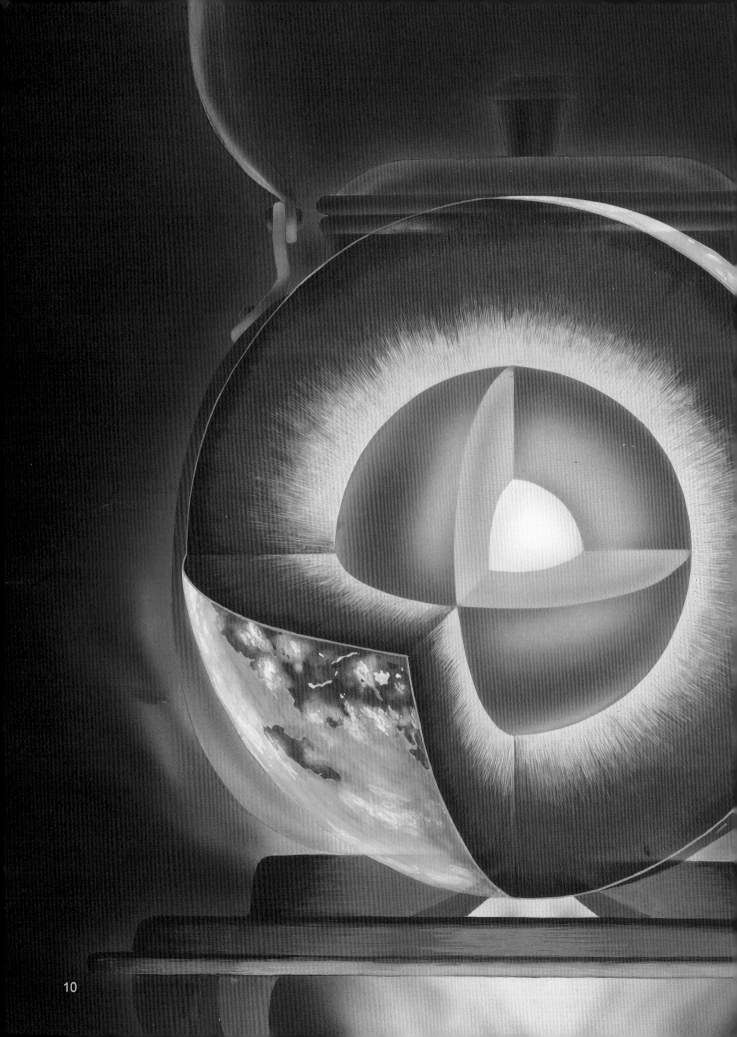

剖开地球看看内部构造

　　究竟为什么会发生地震呢？要想明白地震的成因，就得先知道地球内部的构造。就像鸡蛋有蛋黄、蛋白和蛋壳一样，地球的内部构造可分成地核、地幔和地壳三部分。其中，地核又可分为内核和外核，温度高达5000—6000摄氏度，这种情形就像是在一个不断加热的大火炉上烧开水一般，会使地幔产生对流作用。

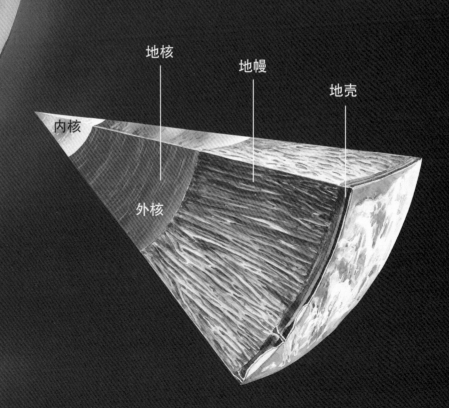

地核

地幔

地壳

内核

外核

什么是"板块"呢?

地球的最外层是地壳部分。它漂浮在地幔上,是由许多块很厚的坚硬岩块组成的,这些岩块被称为"板块"。板块又可依成分和厚度的不同,分为大陆板块和海洋板块。大陆板块比海洋板块厚而轻,所以大陆板块浮出地幔的部分较多,而形成陆地与高山;海洋板块则为海洋所掩盖。平时这些板块因为摩擦力的影响,会互相嵌住不动,就好像一大块拼好的拼图。

啊,地壳在整个地球所占的比例,就像蛋壳那么薄。

地壳

地幔

地核

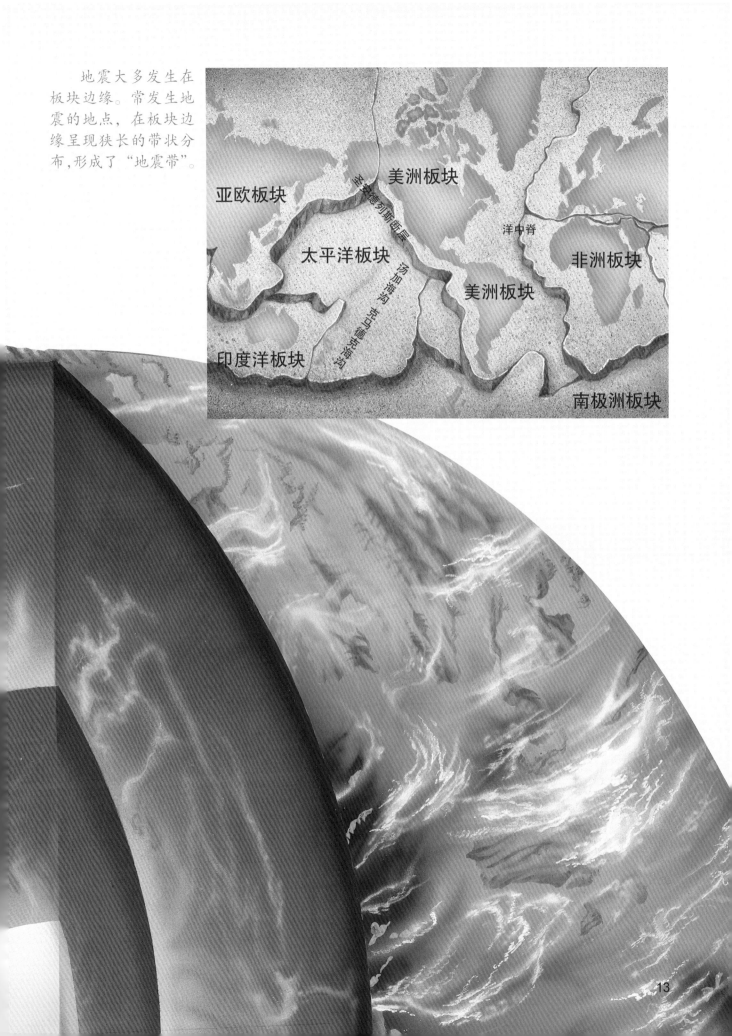

地震大多发生在板块边缘。常发生地震的地点，在板块边缘呈现狭长的带状分布，形成了"地震带"。

亚欧板块

美洲板块

圣安德列斯断层

太平洋板块

汤加海沟

克马德克海沟

洋中脊

非洲板块

美洲板块

印度洋板块

南极洲板块

挤来挤去的板块运动

虽然板块和板块之间会暂时互相嵌住，但是地幔的对流作用会使岩浆不停推动板块，就像茶壶中的水沸腾以后，会有一股强大的力量推动壶盖一般。板块因为受力而滑动，板块的边缘和邻近的板块不断互相摩擦、挤压、冲撞和错动，这些力量都可能引起地震。

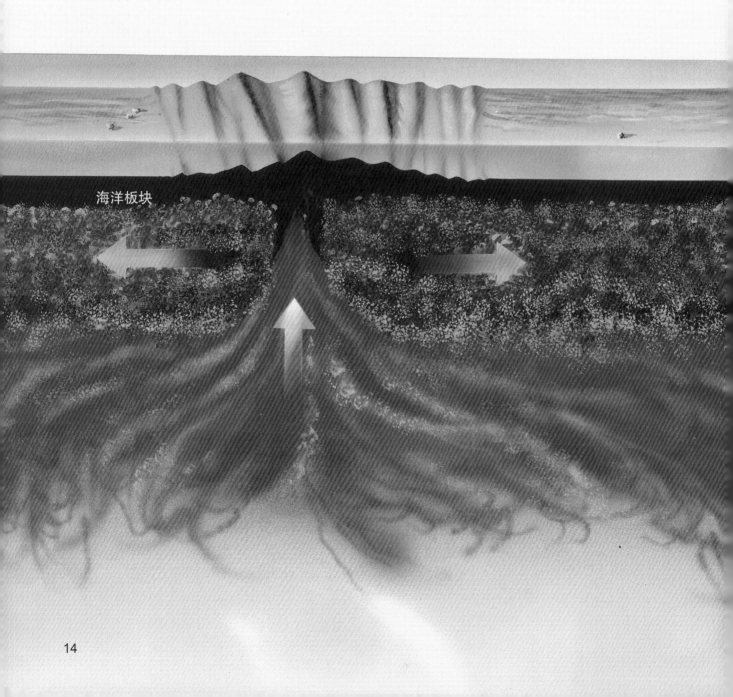

海洋板块

山脉就是这样形成的！

炽热的岩浆推动板块，海洋板块受力而冲向大陆板块的下方，这种推挤的力量会使得大陆板块产生地形上的变化，如褶皱山脉。

大陆板块

岩层断裂的瞬间

　　此外，板块在冲撞时，也会产生强大的压力，挤压土壤下面的岩层。如果岩层受力太大、太久，到了再也不能支撑的极限时就会断裂，这时候也会发生地震。这就好像我们折一根竹筷子时，它会先弯曲，一直到再也承受不了压力了才啪的一声断裂。岩层断裂以后，会形成"断层"。而最先断裂的地方，叫作"震源"。由震源垂直延伸到地面的一点，叫作"震中"。

震中

震源

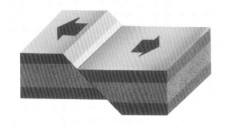

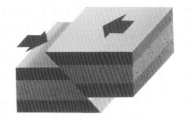

正断层　　　　　　　　　　　逆断层　　　　　　　　　　　走滑断层

　　　岩层断裂而形成断层时，会产生"错移运动"。
断层错移的情形大致可以分为上面这三类。

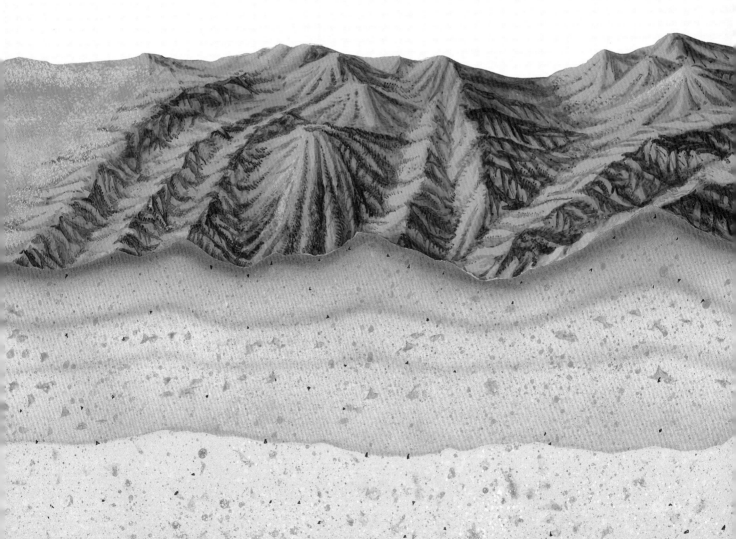

向四面八方传播的地震波

　　岩层断裂所引起的震动以"波"的形式向四面八方呈辐射状传播出去。这就好像我们扔一块小石头到水里，水面会荡起一圈圈涟漪。凭借这种波的震动，我们才感觉到发生了地震，这种波就是"地震波"。专家把这种震动依强弱分了各种等级，叫作"地震烈度"。

震源

震源

外核

内核

地幔

地震波由震源呈辐射状传播出去时，传播的速度常因地层的密度及硬度的不同而有快慢的差异。

地震造成的灾害

地貌改变

地震的断层活动所造成的地貌改变，让我们深深感受到大自然的破坏力。而不同的地貌改变类型，如地面断裂、山崩、土壤液化等，又会产生不同的破坏状况。

地面断裂

　　地震发生时，除了强烈的震动外，如果断层破裂穿透地面，将产生很大的破坏力。大地震中有很多房屋倒塌，就是因为地面断裂所造成的。

　　断层穿过①处和②处两栋房子之间，右侧的房子正好位于断层面上，当地层抬升时，房子倒塌了。左侧的房子位于下盘，所以安然无恙。

位于上盘的楼房①被抬升了将近一层楼高，可以很清楚地看到房子的地基；而在下盘的房子②却没有受到太大损害。

这栋楼房①虽然位于上盘而被抬升，但因建筑物的抗震强度高，所以并没有受到严重破坏。路旁的柱子②和柱子③原本应该在一条直线上，但现在却错开了将近4米，这是断层既抬升又向左水平错移4米的结果。

这是我国台湾地区中部大里溪被抬升的河床，从岩石上的擦痕我们可以很清楚地判断断层滑动的方向，并知道断层是属于逆断层。

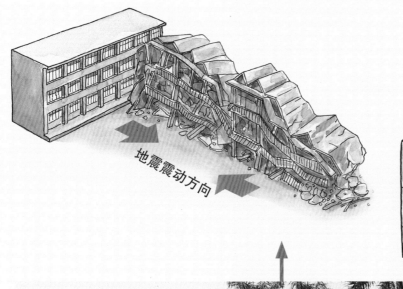

地震震动方向

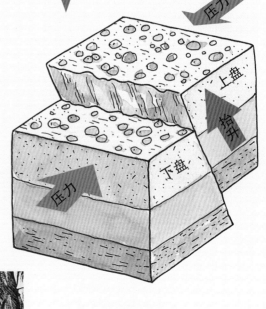

压力

上盘

抬升

下盘

压力

校舍为了采光和方便学生活动，设计了走廊和大片的窗户，导致①处正面没有墙面支撑，虽然没有断层经过，但摇晃剧烈时就有倒塌的可能。左边的建筑②结构虽然和①相似，但因建筑物的方向和震动的方向不同而逃过一劫。

断层横穿过台湾中部大里溪河床，将河床抬升了两三米高，形成一道小瀑布（②处），并且可以清楚地看到原本在河中的大小卵石（①处）。

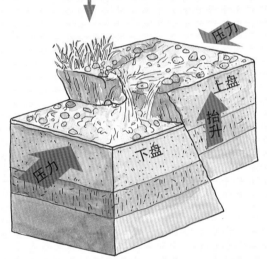

①处不是断层造成地面断裂所形成的地陷现象。这个地点右下方是个斜坡，再加上公园草地是由建筑废土回填到②处，土质松散，地震来时就会顺着斜坡下滑。

山崩

　　"山崩"是指岩块或土壤等由于重力的作用，顺着地形的坡度向下滑落或是位移。大地震会令许多地方都发生山崩，甚至是整片山坡岩层滑落，造成很大的损害。

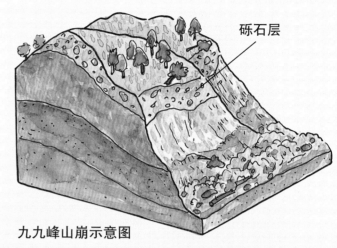

砾石层

九九峰山崩示意图

南投县九九峰山崩

　　从航拍照片中可以清楚地看到，九九峰只有表层的砾石和树木，因为山势陡峭而滑落，是一种浅层滑动。

云林县草岭山崩

　　从航拍照片可看到不连续的地层层面（①处），此处属于不透水的页岩，所以水分到页岩层时不易向下渗透，而被保留在地层中。由于水的润滑作用，岩层间形成一个滑动面，地震一发生整个山坡便向下滑落。

堰塞湖的形成

　　堰塞湖是由于河道遭受堵塞，积水成湖。有因为火山喷发，熔岩流出造成的火山堰塞湖，也有因为地震引起山崩阻塞河道，而形成的地震堰塞湖，像云林县的新草岭潭就是地震所造成的地震堰塞湖。

　　1.清水溪沿着山谷流经草岭附近。

　　2.由于地层结构容易松动，地震导致整片山坡滑动，造成山崩。

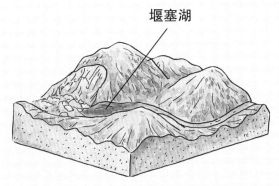

　　3.土石阻塞清水溪河道，形成堰塞湖——新草岭潭。

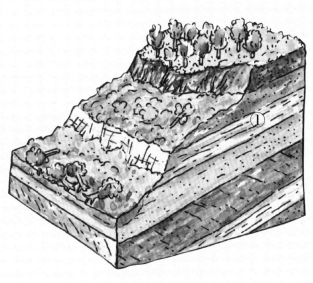

草岭山崩示意图

土壤液化现象

建在砂质土壤上的建筑物，像河滩及海滩地，离河岸不远的砂质冲积层，砂质的旧河道堆积，湖边或是其他水边的填土新生地等，很容易在地震来时，因为土壤液化，暂时失去支撑的力量，而使其上的建筑物"沉"入地下。地震中，有许多建筑虽然没有断层经过，但却因土壤液化而遭受破坏。

虽然不像断层经过那么可怕，但土壤液化也造成不少房屋下陷。

台中县雾峰乡慈明商工前的停车场的喷砂，也是土壤液化的现象。

台中县雾峰乡高尔夫练习场也有喷砂现象，远处则是断层经过倒塌的万佛寺。

一户民宅家中喷砂，造成泥泞满地。

什么是"土壤液化"?

含有大量地下水的砂质地层，在平时看起来虽然很坚固，但强烈地震发生时，砂粒会因震动而呈现漂浮状态，随着砂粒向下沉淀，水则上升，就好像突然变成"液态"的土壤，在地面的建筑物因此"沉"入地下。要是地面因水压升高破裂，地下水混合砂粒喷出，就形成喷砂现象。

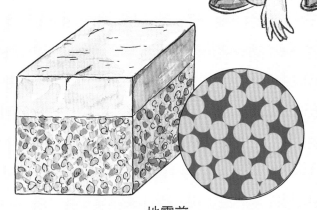

1. 地震前：砂质地层空隙虽多，但因饱含水分，砂粒互相接触咬合，所以土质还算坚固。

地震前

2. 地震时：因为震动，互相接触的砂粒就会分离，砂和水混为一体，呈现液化的状态。接着砂粒会往下沉淀，水则向上升，因为受地震挤压，水压上升，当地表破裂时，水混着泥砂往上喷，就会形成喷砂。

地震时

3. 地震后：地震停止以后，砂粒慢慢沉淀，又变成互相接触的紧密状态。从液化到稳定，大约要10—30分钟，建筑物也在这段时间下沉倒塌。

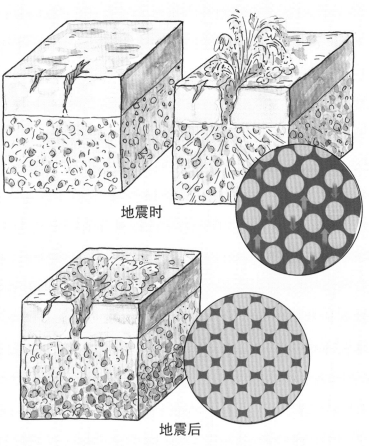

地震后

海啸

在一些海岛国家，大地震发生后，会立刻发布海啸警报，通知大家快逃往高处。为什么地震过后，会发生海啸呢？

并不是所有的地震都会引发海啸，但是，如果是震级超过 6.5 级的地震，当震中在近海海底，海底断层产生位移时，地震波就会推动海水形成大浪，并有可能引发海啸。

当海啸来袭前，因地层错动产生位移，海水会快速退潮，然后又形成大浪往岸边袭来，越强烈的地震，形成的海啸越巨大，浪高甚至可达数十米。

扫一扫，看视频

海啸

海底断层错动，使得大量海水产生剧烈位移，先后退再往回推，海浪一波接一波地前后推挤，形成了足以淹没、摧毁堤岸、陆地、建筑物的巨浪，这就是"海啸"。

海啸造成的灾害

当滔天巨浪强袭而来，巨大的冲击力会快速破坏陆地上的建筑物，对动植物更具有杀伤力，海啸不但会引起撞击破坏，也会引起洪水、火灾等灾害。2011年日本福岛在强震后，巨大的海啸甚至破坏了核电站，引发核电站放射性物质泄漏，对环境造成极大的污染。海啸引起的灾害，不输给强烈地震，同样会造成严重的破坏。

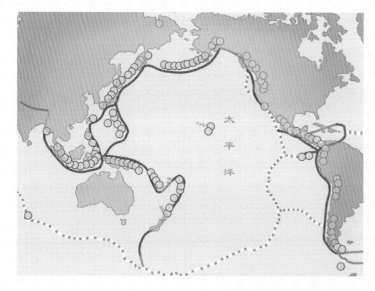

全球发生海啸的地区和海底的地震带几乎完全重叠，约80％的海啸发生在环太平洋地震带上，海啸会侵袭沿海地区，给人们带来最直接的生命财产的损失。

核电站需要大量的冷水来控制反应炉温度，世界各国有许多核电站设置在海边利用海水来降温，因此也较容易受到海啸影响。

海啸与一般海水表层产生的风浪不同，海啸引起整个海水体垂直的上下移动，海底生态系统也会遭到破坏，例如，遭到海啸袭击的珊瑚礁区，因为被严重破坏，造成海底珊瑚大量死亡，产生了白化的现象。

火山爆发也会引起海啸

　　除了大地震以外，海底的火山爆发、海底的大范围山崩、水底核爆或是陨石坠入海洋中，都可能引发海啸。如果海啸发生在离海岸较远的地方，对陆地造成的伤害较小；如果海啸发生在近海时，则往往令人躲避不及。

　　陨石坠入海洋中，强大的撞击力可能将大量海水向四周排开，引发强烈海啸，毁灭城市。

海啸的其他成因

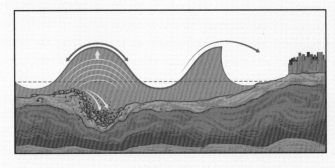

海底山崩

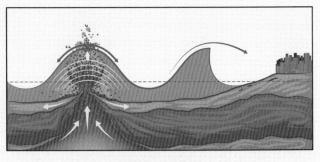

海底火山爆发

海啸来了怎么办

海啸发生前通常会有大地震，此时应注意相关的警报广播，若是发现海水大量后退、海滩露出，或是身边的动物有异常表现，在海边活动的人应立即往高处移动，不要继续待在海边，才能远离海啸的威胁。

1. 海啸来袭时，请尽快离开海边往高处移动。

2. 如果来不及逃到高处，可以紧抱大树提高生存概率。

3. 动物躁动乱叫时，应注意收听广播消息，印度洋海啸发生前，就曾经出现过大象不受控制，试图逃离岸边的现象。

地震的前兆

    从古到今许多资料都曾经记录过，在大地震发生前，自然界常出现的一些异常现象。科学家已经开始监测地震发生频繁地区的环境状况，像地下水的水位或成分的变化等，而有的科学家则在做地震前异常情况的整合研究。

    动物对声波和地震波比较敏感，当地震波传递时，传播速度较快的低频率地震波会先传到地面，人类还没有感觉到，但是一些动物已经先察觉到。

    氡是一种放射性元素，当岩石受到强烈挤压时，会产生无数小裂隙，使表面积增加，此时地下水会接触到较多的存在于岩石中的氡。因此监测井水含氡量，可以知道岩石受力的情形。

闪光可能是岩层受到巨大压力和摩擦，导致正负电荷分离，在地表产生放电或发光的现象。

这些地震前所出现的异常现象，可以作为预测地震发生的方法呢！

因为地壳变形，岩层摩擦会产生高温，从而会造成地底温度上升和地下水位变化，住在土中的生物就会有反应，冬眠的生物误以为春天来临，便提早爬出地面。

高科技搜救大行动

　　1999年"9·21"台湾集集镇大地震发生后不到24小时，世界各地的救援小组就携带高科技的精密仪器和搜救犬，纷纷赶至台湾各灾难现场协助救援。各小组的成员从十多位到百余位不等，一到现场，便迅速架设仪器，展开救援行动。他们夜以继日、马不停蹄的救人精神令人佩服，让我们一起来看看各地的救援人员的安全配备及救援状况。

图片作者：游智胜

图片作者：李智为

救援人员的安全配备

　　救援人员前往搜救现场时，除了携带维护自身安全的配备外，也带了各种干粮及简单的生活用具，不会增加受困地区的负担。

有照明设备的头盔

护目镜

帐篷

手电筒

水壶

干粮

饭盒

皮手套

固定用绳索

紧急随身包

净水器

安全鞋

"谋定而后动"的救援行动

有勇无谋的救援行动，反而会使救援人员成为被救的对象。救援小组的分工很细，有组织、有纪律，而且成员来自各种不同的专业领域，由设计师、建筑师、医生、护士等组成。他们如何在倒塌的残垣断壁间救出受困者呢？一起来看看！

救援队的成员依工作性质，可分为指挥小组、搜救人员、挖掘人员和医疗小组等。

指挥小组：一到达灾难现场，指挥小组会立刻与当地救援人员讨论灾情，并了解建筑结构，在拟定搜救方案之后，就马上以无线电通话系统，调度各组救援人员，进行搜救。

图片作者：李智为

无线电通话系统：可随时随地与总部联系，并汇报最新情况。

救援人员在救援时，会兼顾自身的安全，绝不轻易冒险。

图片作者：游智胜

搜救人员：一接到指挥小组的指示，搜救人员会立刻以各种生命探测器及搜救犬进行搜救工作。

图片作者：李智为

图片作者：柴骏甫

影音探测器：顶端具有红外线针孔摄影机与声波接收器，利用细长的杆深入瓦砾堆中，探寻受困者的影像或微弱的呼吸声。

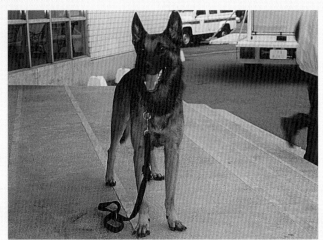

图片作者：张仕献

搜救犬：受过专门训练的搜救犬，嗅觉灵敏。它们会穿梭于倒塌的建筑物缝隙中，搜寻幸存者，一发现有幸存者，会立刻以吠声及前肢着地示意，通常是两至三只编成一组，一起行动。

挖掘人员：挖掘人员负责拆除或支撑建筑物，一发现有受困者，他们会立刻以各种工具进行清除障碍物的工作，以抢救受困者。

图片作者：柴骏甫

油压机：为油压剪提供动能。

图片作者：柴骏甫

油压剪：可以剪断坚硬的钢架。

图片作者：李智为

图片作者：柴骏甫

柴油钻孔机：可将水泥等硬物钻孔震碎。

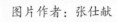

图片作者：张仕献

爆破枪：可进行小范围的爆破。

图片作者：张仕献

组合式支撑杆：可以依所需长度做不同的组合，用来支撑建筑物，使搜救人员便于进出。

救援队除了编组完善与仪器设备精良外，队员的专业技能、丰富经验和勇于救人的精神，都值得我们学习。

43

成语中的科学 —— 天高地厚

　　"天高地厚"这个成语通常用来比喻父母对我们的恩德厚重，无法计算得出。我们也可以用"天高地厚"来形容一件事情的轻重和利害关系，例如：大家都一直容忍他，他却得寸进尺、为所欲为，真是不知道天高地厚。

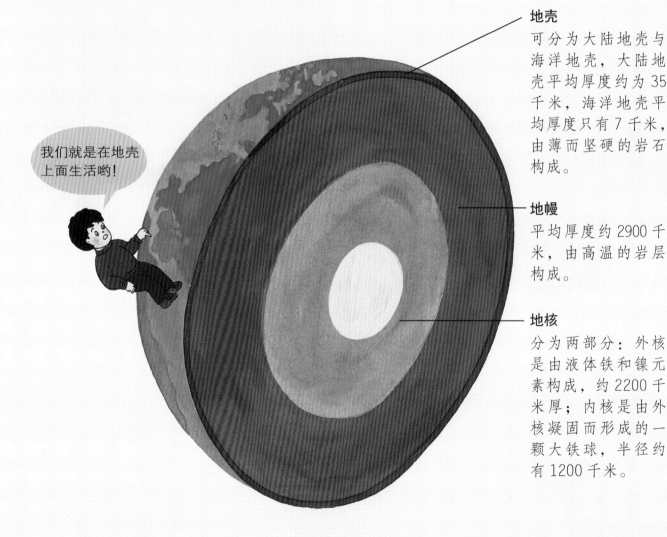

我们就是在地壳上面生活哟！

地壳
可分为大陆地壳与海洋地壳，大陆地壳平均厚度约为 35 千米，海洋地壳平均厚度只有 7 千米，由薄而坚硬的岩石构成。

地幔
平均厚度约 2900 千米，由高温的岩层构成。

地核
分为两部分：外核是由液体铁和镍元素构成，约 2200 千米厚；内核是由外核凝固而形成的一颗大铁球，半径约有 1200 千米。

地球的构造

　　天有多高，地有多厚呢？我们居住的地球就像一枚煮了八分熟的鸡蛋，硬硬的蛋壳像地壳，凝固的蛋白像地幔，而半生不熟的蛋黄部分就像地核。科学家是利用地震波探测出地球各部分的厚度和结构的。

　　地的厚度可以知道，那天空呢？抬起头来看，天空仿佛高不可测。其实，我们所看到的蓝色天空就是"大气层"，它虽然看起来没有尽头，但其实它还是具有一定厚度的。

　　天气变化和地球的水分、温度等都受到大气层的影响，可以说没有大气层就没有地球上的各种生命呢！

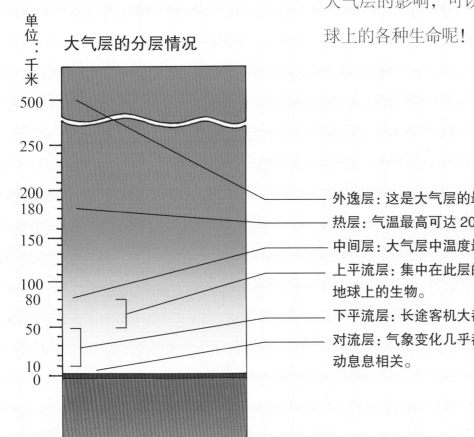

大气层的分层情况

单位：千米

外逸层：这是大气层的最外层。

热层：气温最高可达 2000 摄氏度左右。

中间层：大气层中温度最低的一层。

上平流层：集中在此层的臭氧可以吸收紫外线，保护地球上的生物。

下平流层：长途客机大都在这个范围内飞行。

对流层：气象变化几乎都发生在这一层，和人类的活动息息相关。

地震名词小百科

看完前面所介绍的地震特别报道,你是不是还对一些地震的专有名词不太了解呢?一起来看看。

地震的成因是什么?

地震可分为"天然地震"和"人工地震"。天然地震分为三种:第一种是构造地震,即因板块运动造成地壳运动;第二种是火山地震;第三种是冲击性地震,由于陨石撞击而造成的地震。人工地震则是人为因素造成,例如原子弹爆炸。

构造地震

火山地震

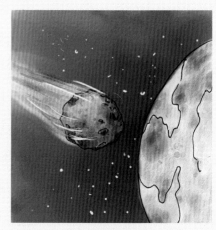

冲击性地震

人工地震

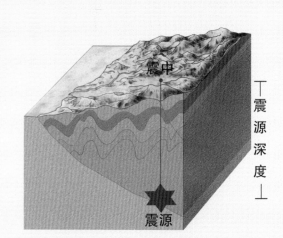

什么是"震源"和"震中"?

"震源"是指地底下地层发生错动,地震发生的起始点。"震中"是由震源垂直延伸到地面的一点。由震源至震中的距离称为"震源深度",0—30千米为"极浅源地震",31—70千米为"浅源地震",71—300千米为"中源地震",301—700千米为"深源地震"。

什么是"前震""主震""余震"？

一次地震通常包括前震、主震和余震。主震是一系列地震中震级最大的，如果发生两次较大的地震，先发生的称为主震。前震是主震前发生的地震。有时前震的时间很短，比较不明显。余震是主震之后发生的地震。前震有时不易察觉，而余震通常比前震明显。

什么是"地震仪"？

地震仪是记录地震波的仪器。地震仪的一部分因惯性保持固定，其余部分会随地震震动，由笔或光束将地震波记录在纸上或相纸上，所记录下来的轨迹就是地震波形图。

什么是"地震波"？

当地球岩层发生错动时所产生的一种弹性波称为"地震波"。当它到达地表时，引起大地的震荡就是"地震"。地震波依传播的路径，分为通过地球内部的"实体波"和沿地表传播的"表面波"。"实体波"分为"纵波"和"横波"两种。地震波的传播速度，由快到慢的顺序是"纵波""横波""表面波"。

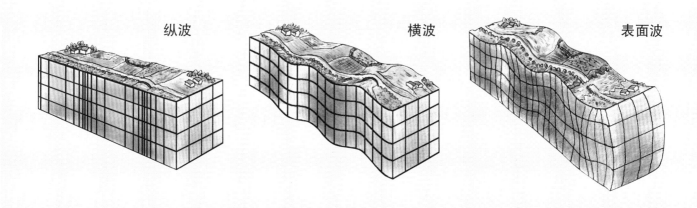

纵波　　　　　　　横波　　　　　　　表面波

什么是"地震带"？

根据观测统计，地震通常发生在板块的边缘，呈带状分布，称为"地震带"。全世界主要有3条地震带，如图所示。

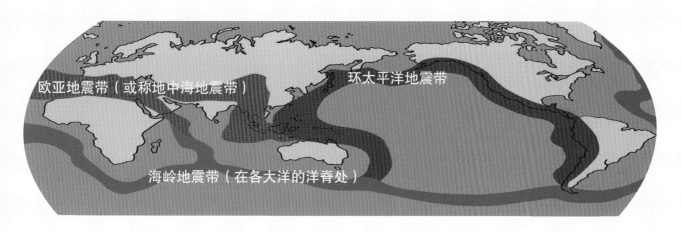

欧亚地震带（或称地中海地震带）　　　环太平洋地震带

海岭地震带（在各大洋的洋脊处）

地牛大翻身 （撰文：郭腾元）

哇！发生地震了！原本平坦的马路隆起，变成小陡坡了。真是可怕的力量！你想进一步了解断层错动的方式吗？快来利用简单的材料做一个小实验，看看"地牛"是如何翻身的！

实验材料

巧克力威化饼

吸管

圆珠笔芯

电线

草莓威化饼

去掉一端的牙签

奶油

葡萄果汁

水果刀

实验一：断层有哪些错动方式？

"断层"简单地说就是断裂而且发生错动的地层，错动的方式可以分为三个基本类型：逆断层、正断层和走滑断层。我们就用威化饼来操作看看。

实验前先洗手，并确定所有的东西都是干净、安全的，如此操作过的饼干还可以吃。

两组切的角度要保持一致哟！

实验步骤

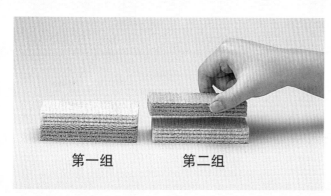

1.用草莓威化饼和巧克力威化饼各一块，摞在一起成为第一组。第二组是巧克力威化饼在上，草莓威化饼在下。

2.把饼干竖起来横放，两组都用水果刀将右上角切掉。

这样的组合像不像断层？你知道哪一组是上盘吗？

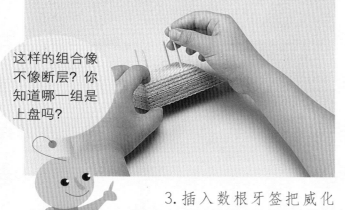

3.插入数根牙签把威化饼固定，然后把两组的斜面相靠，组合成一个完整的长方体。

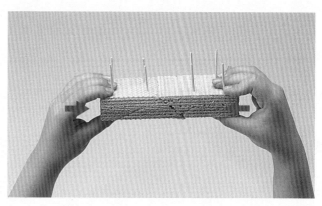

4.两手各握一组威化饼，保持斜面接触，把它们由外向内推，你发现了什么？地层受力后会如何错动？

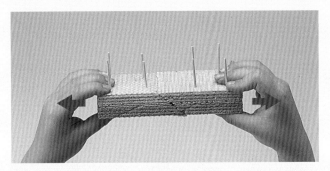 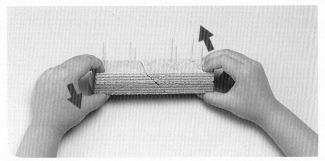

5.把威化饼恢复成长方体，同样保持斜面接触，把它们慢慢往外拉，你发现了什么？地层如何错动？

6.再把威化饼恢复成长方体，同样保持斜面接触，一手往后推，另一手往前推，结果产生了哪一种断层？

实验结果

地层受力太大时，会断裂错动，受力的方向不同，就会产生不同类型的断层，以下就是实验中可观察到的情形。

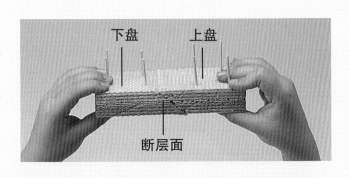

施力的情形	造成的结果	
由外向内 用力推	上盘沿断层面向上移动，产生逆断层	
由内往外拉	上盘沿断层面往下移动，产生正断层	
一手往前推， 一手往后推	上盘和下盘沿断层面平行移动，产生走滑断层	

实验二：地壳为什么会"震动"？

地层因为受力产生的震动就是地震，这时建筑物、河流、地形等会有什么变化？快来做个实验看看。

实验步骤

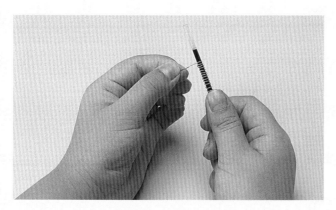

1.把电线的外皮剥去，取出其中的细铜丝，在圆珠笔芯上缠绕成不同长短的弹簧，把它固定在牙签上。

2.继续使用实验一做好的地层组合，把牙签拔出，并在两层威化饼中加入一片较窄的薄威化饼。

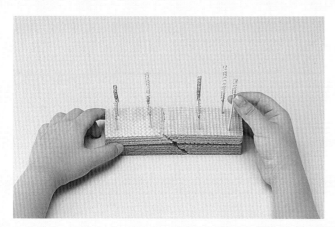

3.插入上头有弹簧的牙签，并将上下两层威化饼穿牢。

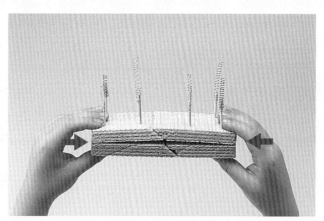

4.由外向内慢慢用力推，直到威化饼发生错动，观察弹簧，晃动的程度都一样吗？再上下错动几次，观察弹簧晃动的情形。

弹簧停止晃动的时间都一样吗？

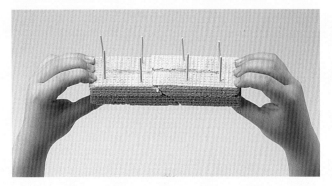

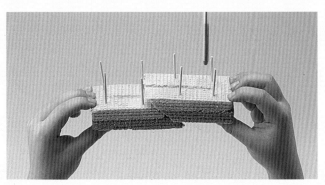

5.把有弹簧的牙签拿下来。用牙签在上面刮出一条跨过两组威化饼的长凹沟，在凹沟及附近涂上奶油，再插上普通的牙签。

6.做一个逆断层，略微倾斜威化饼，让果汁顺着涂了奶油的凹沟由上盘流到下盘，看看有什么结果？由下盘流到上盘又有什么结果？

换成正断层做做看，会产生什么结果？

实验结果

1.两手用力往中间推，会使上盘往上移动，当新加入的威化饼层断裂时，固定在牙签上的弹簧会产生晃动，越长的弹簧晃动越明显，短的弹簧晃动一下子就停止。再上下错动几次，发现弹簧也会晃动，可是不会那么剧烈。

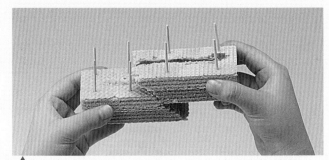

↑ 2.如果发生快速而且落差大的逆断层，原本由上盘流到下盘的果汁，会因为两地层之间产生了落差，而形成"瀑布"。

4.如果发生正断层，果汁无法由上盘流到下盘，水位会上升而造成上盘淹水，然后再改道。如果是由下盘流到上盘则会形成急流。

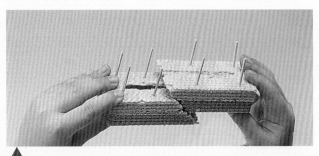

↑ 3.如果是由下盘流到上盘，因为上盘隆起，流不过去，会先形成积水再往下盘较低的地方流。

归纳整理

　　1999 年发生的台湾 "9·21" 集集大地震，主要是因为车笼埔断层错动的缘故，在台中县雾峰乡光复中学的操场，我们就可以清楚地看到逆断层产生的落差。从实验中我们知道这是因为地层受到挤压，当地震发生时，建筑物会像弹簧一样发生晃动，如果承受不住，就会倒塌，造成严重的死伤。断层活动会造成河道的改变，产生落差的地方形成瀑布，有些山崩堵塞河道会形成堰塞湖。

这些房子因为承受不住地震的晃动而倒塌。

图片作者：陈文山

河床因地层错动产生了落差，形成瀑布。

由于断层错动，原本平坦的操场就变成小山坡了！

地震来了怎么办？

如果现在发生了地震，你有自信可以应付吗？平时又该如何做好防震准备呢？赶快来看看下面所提供的各种要点，并确实实行哟！

请沿线前进，想想看，在各种情况下，你该怎么办？

天哪！电梯正在急速下坠！

天哪！电梯停止不动了！

还好！电梯还可以运转。

怎么办？

在电梯内

墙壁、天花板已经损毁。

在室内

好可怕哟！

正在马路上或建筑物下。

在室外

在郊外。

在火车或地铁列车上。

怎么办？

在车上

骑自行车或坐在汽车里。

马上按下"紧急停止"钮。

不要慌张，使用电梯中的对讲机向管理员求救。

将各楼层的按键全部按下，电梯停止后尽快离开。

怎么办？沿虚线剪开，翻开纸条你就知道该怎么办了！

糟了！被困住了，无法逃出！

背上紧急包，用东西保护头部，立即逃离！不要乘坐电梯。

怎么办？沿虚线剪开，翻开纸条你就知道该怎么办了！

远离河边、海边和崖边，并注意落石，寻找空旷的地方避难。

握紧扶杆或护住头躲在座位间，听从司机或车内广播的指示，不要慌乱下车。

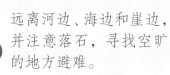

若在行驶中，应减慢车速，靠边停放。如果是在高速公路或高架桥上，应小心迅速驶离。

怎么办？沿虚线剪开，翻开纸条你就知道该怎么办了！

在室内的避震要点

背上紧急包。

利用垫子或枕头保护头部，尽快寻找安全的地方躲避，像建筑物的梁柱旁边，或以比桌、床高度低的姿势，躲在桌、床的旁边。

小心，不要被掉落的物品击中。

远离或背对窗户，以免被割伤。

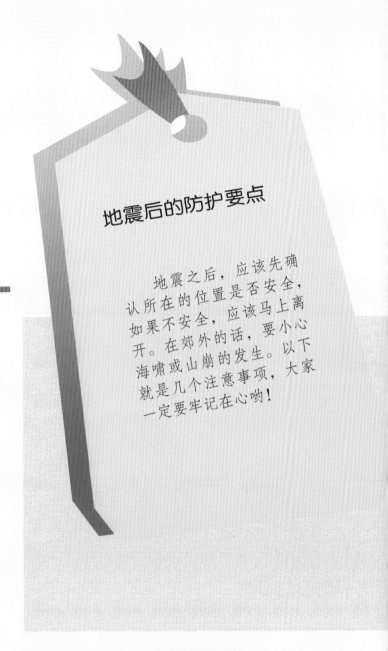

地震后的防护要点

地震之后，应该先确认所在的位置是否安全，如果不安全，应该马上离开。在郊外的话，要小心海啸或山崩的发生。以下就是几个注意事项，大家一定要牢记在心哟！

受困时该怎么办？

请保持冷静、清醒，不要哭闹才不会很快地把氧气消耗光。

注意其他坍塌，确认目前的位置是不是安全。

寻找可能的出口。

尽量朝向有光线或空气流通的地方，等待救援。

吹哨子或敲打器物，发出规律的声响，等待救援。

如果有食物和水，不要一次吃完，慢慢吃，等待救援。

如果空间安全，体力不支时，可以试着睡觉，这样能降低忧虑，可以减少氧气和能量的消耗。

要有坚强的求生意志，不要放弃希望。

在室外的避震要点

用书包或双手保护头部，注意可能有招牌、盆栽、空调外挂机等物品掉落。

远离工地、围墙、玻璃橱窗、加油站、电线杆等。

如果是在天桥或地下通道，要迅速地离开。

恢复供电后，不要马上打开电器，要先检查是否有天然气泄漏，如果闻到有天然气味，请马上打开门窗通风，快速离开，并向消防部门报告。

检查房屋结构受损的情况，如果有龟裂，应请专业人员进行检查与修护。

检查家中的吊灯和其他悬挂物，是否已经出现松脱现象。

打开高的橱柜时，不要站在正前方，以免被里面倾倒出来的东西砸伤。

[紧急地震速报]

04月01日04时01分在中国东海附近（北纬30.8度，东经128.4度）发生6.8级左右地震，最终结果以正式速报为准。

地震发生后，打开电脑、手机等通信设备，查收紧急情况指示和灾情报道，不要随意听信谣言。

最好穿着厚底的鞋子，以免走动时被震碎的玻璃和碎物弄伤。

外出时，小心摇摇欲坠的招牌、花盆或空调外挂机等。

平时的准备

目前的科技还无法准确预报地震，平时做好万全准备，才能将地震可能造成的灾害降到最低。其中最重要的就是增强自己的应变能力，并减少环境中可能会造成的危险。家中也要准备好紧急包，万一有突发状况才能够顺利度过。

床边不要摆放易掉落的物品或易碎物。

找出家中每个房间最安全的地方，并规划好家中和住宅附近的逃生路线及避难场所。

家中应准备急救箱和灭火器，每个人都要知道存放的地方，并了解使用的方法。

家中要准备手电筒、电池、帐篷等紧急情况下用到的物品。

保持走廊、门口的畅通，不要堆放杂物。

不可以任意拆除梁、柱、墙，也不可以违法加盖。

挂放的东西要加以固定，过重的东西不要放在高的地方。

定期维护天然气、电力和自来水等管线。

笨重的家具、天然气罐、热水器等要固定。

紧急包小常识

请爸妈帮你准备一个紧急包，放在随手可拿到的地方。记得选用双肩背式的背包，里面的各项物品要装在塑料袋内加以防水，整个背包不可以过重，否则会妨碍逃生，还要注意各项用品的保存期限，定期更换。

紧急包装什么？

手电筒或头灯等照明设备。

配合照明设备的碱性电池。

水越多越好，以背得动为限。

饼干、巧克力等热量高、重量轻的食物。

依自己的健康状况，准备必需的药品，如哮喘药等。

重要证件的复印件。

万一和家人离散时，紧急的联络人、地点和电话号码。

个人特殊用品，如备用眼镜、多功能刀等。

哨子、保暖衣物和现金。

什么是"地震烈度"？

"地震烈度"是指地震时，地上的人所感受到震动的激烈程度，或是物体受到震动遭受破坏的程度。我国通常将地震烈度分为12度。

Ⅰ度：地震仪有记录，人体没有感觉。

Ⅱ度：室内个别在静止中的人或对地震比较敏感的人可以感觉到。

Ⅲ度：室内少数人在静止中有感，悬挂物轻微摆动。

Ⅳ度：室内大多数人有感，家畜不宁，门窗作响，墙壁表面出现裂纹。

Ⅴ度：门窗摇动，一般人均可感觉到。

Ⅵ度：人站立不稳，家畜外逃，器皿翻落，简陋棚舍损坏，陡坎滑坡。

Ⅹ度：房屋倾倒，道路破坏，山石大量崩塌，水面大浪扑岸。

Ⅺ度：房屋大量倒塌，路基堤岸大段崩毁，地表发生很大变化。

Ⅻ度：建筑物几乎全部毁坏，地面剧烈变化，动植物遭毁灭。

Ⅶ度：房屋轻微破坏，地表出现裂缝及喷砂冒水。

Ⅷ度：房屋多有破坏，少数毁坏，路基塌方，地下管道破裂。

Ⅸ度：房屋大多严重破坏，少数倾倒，烟囱崩塌，铁轨弯曲。

什么是"震级"？

"震级"是用来描述地震的大小，以一个没有单位的数字表示，依照地震所释放的能量而定，为美国地震学家里克特在 1935 年所创。一般范围是 0—9.5。1960 年智利发生里氏 9.5 级的地震，是目前最强的地震记录。震级每增加 1 级，所释放的能量约增加 30 倍。

从过去发生浅源地震的地震震级和次数分布看，震级小的地震发生次数较频繁，震级大的地震发生次数则较少，犹如一座金字塔。

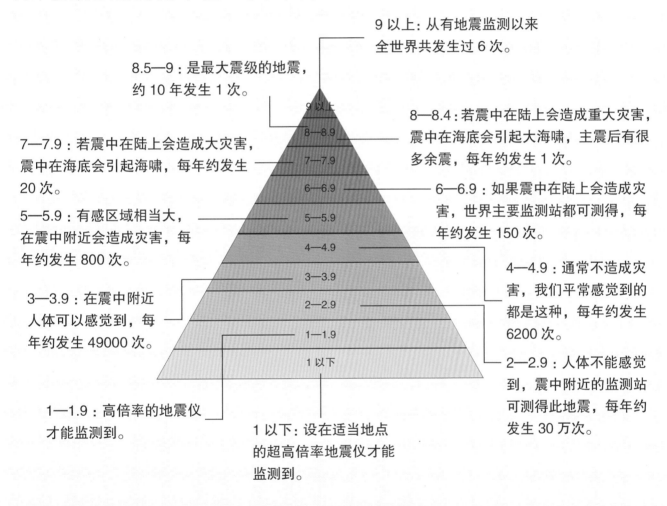

9 以上：从有地震监测以来全世界共发生过 6 次。

8.5—9：是最大震级的地震，约 10 年发生 1 次。

8—8.4：若震中在陆上会造成重大灾害，震中在海底会引起大海啸，主震后有很多余震，每年约发生 1 次。

7—7.9：若震中在陆上会造成大灾害，震中在海底会引起海啸，每年约发生 20 次。

6—6.9：如果震中在陆上会造成灾害，世界主要监测站都可测得，每年约发生 150 次。

5—5.9：有感区域相当大，在震中附近会造成灾害，每年约发生 800 次。

4—4.9：通常不造成灾害，我们平常感觉到的都是这种，每年约发生 6200 次。

3—3.9：在震中附近人体可以感觉到，每年约发生 49000 次。

2—2.9：人体不能感觉到，震中附近的监测站可测得此地震，每年约发生 30 万次。

1—1.9：高倍率的地震仪才能监测到。

1 以下：设在适当地点的超高倍率地震仪才能监测到。

地震震级越大，造成的灾害是不是也越大？

通常地震震级越大，释放的能量越大，灾害也越大。但因为地震波穿过地层距离越长，能量损失越大，所以离震源越近的地方，震动越大，也就是震源越浅，地表受灾会越大。此外还要看震中和人口稠密地区距离的远近、岩层的坚硬度等因素。

小牛顿 科学馆 全新升级版